BRÁULIO BESSA

POESIA COM RAPADURA

BRÁULIO BESSA

POESIA COM RAPADURA

1ª EDIÇÃO

FORTALEZA, 2017

CeNE
EDITORA

APRESENTAÇÃO

Ainda que se juntasse num só artefato, a asa do corvo, o ventre imundo dos sapos, farrapos e sombras para formação de uma cortina imensa, com aptidão para "tapar o sol da nossa crença", mesmo assim, ela não seria capaz de fazer o eclipse da aurora. Numa analogia à afirmação de Guerra Junqueiro, o português autor de "A Velhice do Padre Eterno", é possível afirmar: nenhum tsunami, nenhum míssil teleguiado, nenhum *little boy* (código da bomba de Hiroshima) será capaz de aniquilar "uma ruma de sentimentos e pensamentos de um fazedor de poesias". Assim, numa frase curta, no prólogo, **Bráulio Bessa Uchoa** resume ou apresenta ao mundo o seu livro **Poesia com Rapadura**. Dizem alguns: o verdadeiro poeta atinge alto grau de literariedade e sua poesia não é eivada de subjetividade ou sentimentalismo. Patativa do Assaré chama esses doutos literatos de "poeta cantor de rua, que na cidade nasceu" e lhes manda um recado: "Cante a cidade que é sua, que eu canto o sertão que é meu".
O que dizer de Bráulio Bessa, discípulo de Patativa? Menino magrinho, talento brotando por todos os poros, já viu o sertão desmoronar num mundo de folhas mortas, vencidas pela seca, mas ao mesmo tempo, sentiu o reflorir das árvores, tomou banho nas biqueiras da rua José Ferreira e do Bairro dos Alípios, onde seus avós, José Bessa (Dedé sapateiro) e Maria Guerra Campelo construíram um império de honradez, um legado para todos os descendentes e agregados, aí se incluindo Ana Lídia Guerra Bessa (mãe do poeta), Antonio Evaristo Uchoa (pai), Bruno Bessa Uchoa (irmão), e Vitória Bessa Uchoa (irmã). Em função da exiguidade deste espaço, não é possível relacionar metodicamente todos os nomes.
O menino de talento nato, sem temer as palmadas da vida, transformou-se num psicólogo do semiárido e deu conselhos do tipo: "Case com uma mulher que saiba fazer cuscuz!"; "não cheire pó, cheire cangotes". Absorveu

e emitiu conceitos: "O amor tem gosto de seriguela madura"; "mãe é um *pedacim* de Deus no *mêi* do mundo" ou "mãe é doce feito mel de rapadura"; "quem esquece de onde veio, não sabe pra onde vai". Quando o assunto é amor ou paixão, ele não olvida em mergulhar num "tibungo", no coração da musa, personificada em Camila Mendes Silva Bessa, a esposa amada, companheira da vida. Disfarçado num cupido, quebrou regras, fez uma ruptura com as diferenças, fragmentou tabus, "pois quando Deus autografa, é capaz de uma girafa namorar com um tatu".

Cidadão consciente de suas responsabilidades, indigna-se com a corrupção, os descasos e as mazelas sociais e manda um recado aos usurpadores do dinheiro do povo: "Quem é rico com o suor de outro rosto, é um pobre de dinheiro e coração". O menestrel sertanejo afirma com propriedade: no Brasil e especialmente no Nordeste "tem famílias que sofrem com sede e fome, sem dinheiro, sem luxo e sem sobrenome, quinze filhos e nenhum vira ladrão".

Numa retrospectiva visível através das clareiras do tempo, parece que o destino se aliou à capacidade empreendedora desse garoto de Alto Santo e lhe disse: vá, abra a cortina desse palco majestoso, faça a alegria do povo e arranque o aplauso merecido. Com a cumplicidade da tecnologia, Bráulio criou uma página na internet, chamada de Nação Nordestina, foi entrevistado numa emissora de televisão e, ao final, com uma extraordinária desenvoltura, mandou um cheiro pra "Fatinha" (Fátima Bernardes). Como um verdadeiro craque, "caiu nas graças da torcida" e foi contratado pela Rede Globo, onde apresenta semanalmente os seus cordéis, hoje reunidos no presente livro, dividido em temas como amor e paixão, essência e sentimentos, sobretudo a fé, enaltecedores do ser humano. Além da defesa intransigente do linguajar do Nordeste, uma terra onde há escassez de água e abundância de luz, ao mesmo tempo. Bráulio Bessa fala de união, solidariedade, tecidos de amor, linha de caridade, agulhas de compaixão, com os quais é possível vestir a humanidade e agasalhá-la do frio e dos vendavais da indiferença.

Caro amigo Bráulio Bessa Uchoa, tornar-se-ia desnecessário dizer que fiquei honrado com o convite para prefaciar o seu livro, mas o faço agora, com a serenidade inabalável das almas sensatas. E acrescento: na vida, você é um catador de esmeraldas, um explorador de preciosidades, em resumo, um garimpeiro de sonhos. Seus versos têm o sabor do mel da cana, o som das bicas murmurantes do Bairro dos Alípios, que também é meu recanto e meu encanto; você dignifica Alto Santo, orgulha o Ceará, envaidece o Nordeste e encanta o Brasil. Sucesso, meu irmão! Mas, não perca jamais a simplicidade que o torna grande.

Nicodemos G. Napoleão
Bacharel em Administração de Empresas
Professor Especialista em Docência de Nível Superior
Poeta, Escritor, Sócio efetivo e emérito da
Academia de Letras dos Municípios do
Estado do Ceará – ALMECE e outras entidades
literárias cearenses.

Dedico a
Seu Dedé sapateiro
e Dona Maria.

AGRADECIMENTOS

A Deus e seu filho Jesus Cristo.

A Camila, criatura mais linda que meus olhos já viram, dona do meu coração e do resto.

A minha mãe. Maior guerreira que já vi lutar.
A meu pai. Um amigo e conselheiro.

A Bruno e Vitória.
Meus irmãos mais novos e filhos mais velhos.

À família que me construiu e me reconstrói todos os dias.
Amo muito cada um de vocês.

A meus velhos e bons amigos. Aos novos também.

A Gustavo Lobo, que acreditou/confiou em mim desde quando nem eu acreditava e, ao lado de Camila, assumiu a frente desse projeto e o fez acontecer.

A Maurício Arruda, Fátima Bernardes e cada uma das pessoas que fazem o "Encontro"; graças a vocês minha poesia visita milhões de lares e corações toda semana.

A todos da editora CENE, que abraçaram esse projeto e cuidaram de cada detalhe com tanto carinho.

A Nicodemos, mestre das palavras, que escreveu lindamente o prefácio desse livro.

Ao Brasil.
Ao Nordeste.
Ao Ceará.

Ao povo da minha terra, meu amado Alto Santo.

A cada uma das pessoas que sentem minha poesia no "mêi" do mundo, seja pela televisão, internet, rádio, jornal, revista e agora por este livro. Vocês fizeram este filho nascer, me ajudem a cuidar dele!

A todos que me querem bem.

Bráulio Bessa

Uma ruma de sentimentos
e pensamentos de um
fazedor de poesias.

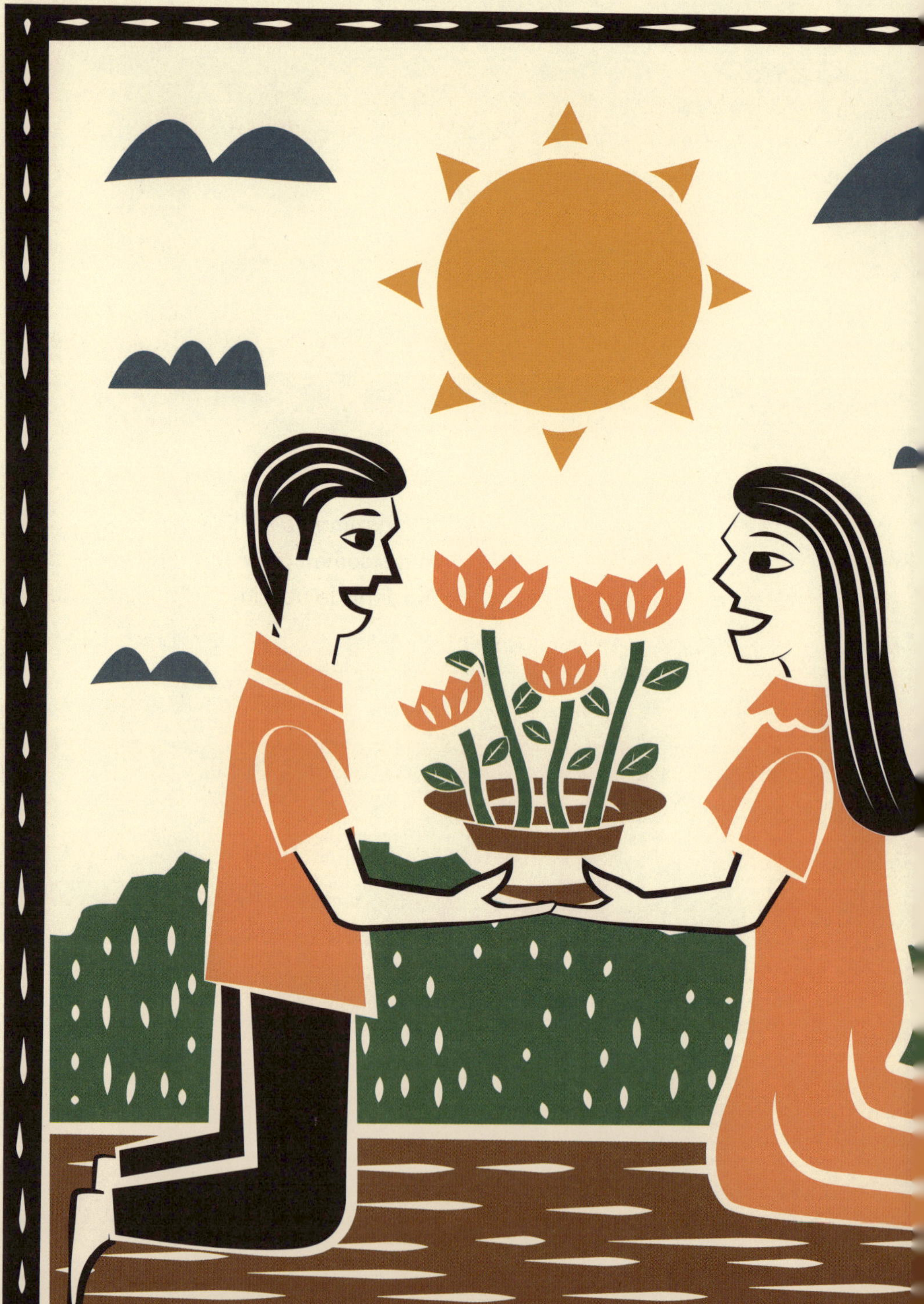

DO AMOR E DA PAIXÃO

TODO

AMOR

É

NORMAL.

~

O
AMOR
tem
GOSTO DE SERIGUELA
madura.

UMA CARRADA
DE AMOR

~

Despeje na sua vida
uma carrada de amor
de diferentes idades,
de todo tipo de cor.
Sem inventar divisões
por crenças, religiões,
orientação sexual,
que eu garanto a você
que vai ser fácil entender
que todo amor é normal.

O importante é amar.
Sem rédeas e sem censura,
mesmo que a sociedade
às vezes seja tão dura;
amar é sentir coragem!
Sem fingir, sem camuflagem,
sem medo de ser julgado,
pois quem julga um amor
não é juiz, não sinhô,
é no fundo um mal amado.

AS MEDIDAS
DO AMOR

~

Quando Zé amou Maria,
quando Maria amou Zé,
Zé menor do que Maria,
Maria maior que Zé.
As bocas não se cruzavam,
mas eles sempre encontravam
um jeitinho, uma saída;
cada um tão diferente,
mostravam pra toda gente
que o amor não tem medida!

Pois bem…

Não se mede um amor,
não se pesa uma paixão.
Não tem balança no mundo
com tamanha precisão.
E se alguém lhe perguntar
qual o peso de um olhar,
ou quanto mede um abraço,
duvido você saber.
Só Deus quem sabe dizer
a fórmula passo a passo.

E a fórmula é não ter fórmula,
não ter regras, não ter cor.
Preto pode amar o branco
no arco-íris do amor.
Sem ligar pras diferenças
sem se preocupar com crenças,
o amor quebra o tabu,
pois quando Deus autografa
é capaz de uma girafa
namorar com um tatu.

**Pois quando DEUS autografa
é capaz de uma GIRAFA
namorar com um TATU.**

TEMPO
E AMOR

～

Não existem regras, números, nem leis
quando o amor chega quietinho e contagia.
De repente você sente uma agonia...
Geralmente isso acontece aos dezesseis.
Calendários já não servem pra vocês,
o real se transforma em fantasia,
as tristezas são curadas com alegria.
Um instante dura uma eternidade,
pro amor não há tempo nem idade
o segredo é amar mais a cada dia.

E assim, vão seguindo a caminhada
na certeza que o amor não foi em vão.
Um pro outro feito o vento e o balão,
desviando dos espinhos na estrada,
enfrentando cada choro com risadas,
renovando a todo dia essa união:
com amor, respeito e dedicação.
Por mais seis, sessenta ou até seiscentos,
viveria de novo cada momento
caminhando e segurando a sua mão.

AH, SE
UM DIA...

~~

Ah, se um dia num descuido descuidado
seus beicinhos alisassem os beiços meus,
meu cangote sentisse os fungados seus,
o meu peito bateria agoniado.
Cada pelo do meu corpo arrupiado,
parecendo que passou um furacão
assoprando o vento forte da paixão,
sacundindo o meu amor feito poeira,
Sem juízo eu faria qualquer besteira
pro meu sonho deixar de ser ilusão.

~

No dia em que eu vi ela
de branco, linda e faceira.
me deu logo uma suadeira,
tremelique nas canelas...
Meu coração na titela,
quase que pulou pra fora,
pois tinha chegado a hora
da gente dizer o "SIM";
eu pra ela, ela pra mim,
para sempre e para agora.

**Eu pra ela, ela pra mim,
para SEMPRE e para agora.**

SOBRE
CASAMENTOS

～

Case com
uma **MULHER**
que saiba
fazer **CUSCUZ!**

Se não for pra
**ARRIAR OS 4 PNEUS
E O ESTEPE,**
nem invente de se
APAIXONAR.

∼

De repente o cabra esperto,
fica todo abestalhado...
Quando vê ela passando
a baba escorre de lado,
perdido nos olhos teus
inté parece que Deus
tinha tudo planejado.

Mesmo que mil tipos
de ódio o mal invente,
o AMOR mesmo sozinho
será sempre mais valente.

Valente, forte, profundo
capaz de mudar o mundo
e acalmar qualquer dor;
vivemos nesse conflito,
mas confio e acredito
na valentia do amor.

~

Lascou-se o pobre José,
sem o amor de Maria.
Sem seus chamegos de noite,
sem seus carinhos de dia,
sem seus zoim pra zoiar,
sem seus beicim pra beiçar,
findou-se sua alegria.

(...) todo amor
tem **ENDEREÇO**,
toda saudade
tem um **NOME**.

REPARE,

Se no primeiro
cheiro no cangote não der
logo um esmorecimento nas pernas,
nem dê corda,
NÃO É AMOR.

~

Eu me lembro daquele cheiro de flor,
que eu sentia cheirando o cangote dela,
chega dava um tremelique nas canelas
diz o povo que é sintoma de amor,
suadeira, tremedeira, um calor...
Toda vida quando eu avistava ela,
pastorava pelas brechas da janela
esperando ela passar por um segundo
e os meus olhos mergulhavam num tibungo
num açude dentro do coração dela.

E os meus olhos mergulhavam num TIBUNGO num açude dentro do CORAÇÃO DELA.

Não
CHEIRE PÓ.
Cheire
CANGOTES.

A PALMADA DA MÃE NÃO DÓI METADE
DAS PALMADAS QUE A VIDA DÁ NA GENTE

~

Os mais sábios conselhos ela me deu
sem tirar nem botar acertou tudo.
É doutora da vida sem estudo,
foi vivendo que ensinou e que aprendeu,
com as pancadas dessa vida ela sofreu
e mostrou, até de forma inconsciente,
que seus filhos precisavam ser decentes
e viver sempre com honestidade.
A palmada da mãe não dói metade
das palmadas que a vida dá na gente.

Se a carne era pouca e o caldo ralo,
no pirão do amor tinha sustança
e as panelas todas cheias de esperança,
nossa fé nunca sofreu nenhum abalo.
Mãe dizia: Filho escute o que eu te falo,
nessa vida seja sempre paciente
cada um tem um destino diferente;
lute, cresça e nunca perca a humildade.
A palmada da mãe não dói metade
das palmadas que a vida dá na gente.

Se um presente mais bonito eu lhe pedia,
mãe dizia que não podia comprar.
Me danava e começava a chorar,
sem saber que muito mais nela doía.
Sem dinheiro pra fazer minha alegria,
inventava uma maneira diferente
e dizia que um dia lá na frente
meu trabalho mataria essa vontade.
A palmada da mãe não dói metade
das palmadas que a vida dá na gente.

Toda vida que eu dou um cheiro nela
agradeço a Deus por ter minha mainha;
mas você que já perdeu sua rainha
não se sinta só e nem distante dela.
Entre a terra e o céu há uma janela
com um vaso onde Deus planta a semente
do amor que a mãe da gente sente
e essa rosa nos protege da maldade.
A palmada da mãe não dói metade
das palmadas que a vida dá na gente.

Bença, **PAI!**
Bença, **MÃE!**
Bença, **VÔ!**
Bença, **VÓ!**

MÃE

～

Vixe,
o cabra pode escolher muita coisa nessa vida...
Ser artilheiro ou goleiro,
pedalar ou correr,
inté o sabor das coisas a gente pode escolher!

Mas a coisa mais joiada, mais preciosa,
mais arretada da vida da gente,
simplesmente não se escolhe...

A MÃE!

Ela que é um pedacim de Deus no mêi do mundo,
um tantão assim de bravura,
outro tantão assim de ternura.

Mãe é doce feito mel de rapadura,
macia feito algodão, cheirosa feito milho na fogueira
numa noite de São João.

Mãe é pura perfeição,
não tem pra quê escolher.
E mesmo assim,
se eu tivesse a graça desse poder...
De todas as mães do mundo,
teria escolhido você!

PAI

~

Referência de herói no meu destino,
protetor desde nascença até o fim.
És fiscal de namoro, de boletim,
mesmo adulto ainda me vê como um menino;
isso é fruto de um amor tão genuíno.
Pai que é pai nunca muda, é sempre assim.
Ajudando a conquistar todos os Sins,
mas também dizendo Não na hora certa,
hoje eu vejo esse mundão com a porta aberta
pelas chaves que papai deu para mim.

Pai que é mãe, pai que é tio, pai avô,
pai amigo, existe até pai que é pai,
pois os laços de sangue não valem mais
do que um nó feito nos laços do amor.
Se faz frio, és abrigo com calor,
se faz sol, és sombra boa demais;
se faz guerra, és um pedaço de paz,
minha fonte de conforto e segurança.
Nos seus braços serei sempre uma criança,
no meu peito não lhe esquecerei jamais.

IRMÃO

~

Já que Deus me fez poeta,
um fazedor de poesia,
sigo a vida versejando
é essa minha alegria.
Ajuntando pensamentos,
misturando sentimentos,
falando com o coração!
Tô aqui mais uma vez,
hoje trago pra vocês
um cordel sobre o irmão.

Briguento e melhor amigo,
protegido e protetor.
Juntamos as alegrias,
dividimos cada dor
desde os tempos de criança,
guardamos cada lembrança
no fundo do coração.
Na vida tem muito EX
mas eu garanto a vocês
não existe ex-irmão.

Irmãos foi por que Deus quis,
amigos por que queremos.
Um dia nós ensinamos
os outros dias aprendemos
que o sangue é indiferente
quando a vida dá pra gente
um sentimento sagrado,
que nem é meu, nem é seu,
amor é coisa de Deus
a gente só pega emprestado.

❀

**Amor é coisa de DEUS
a gente só pega emprestado.**

❀

O NINHO

~

Outro dia observei
a construção de um ninho;
vi graveto por graveto
no bico do passarinho,
parecia um engenheiro
tão forte e tão ligeiro
mesmo tão pequenininho.

É ali que cada filho
vai aprender a cantar,
vai ver os raios de sol,
ouvir a chuva pingar,
até que um belo dia
vai provar da alegria
de aprender a voar.

Eu fiquei ali pensando
do que é feito nosso ninho...
Afinal, também nascemos
frágeis feito um passarinho
e a mãe do mesmo jeito,
trabalha e estufa o peito
e constrói o nosso cantinho.

Enfrenta tudo no mundo
pra poder nos proteger,
dá pra gente o de calçar,
o de vestir e o de comer.
E quando o dia chegar
a gente não vai voar,
mas já vai saber correr.

Vai correr no mêi do mundo
na correria da vida.
Vai sofrer, vai sentir medo,
vai ter a alma partida,
mas também vai entender
que a estrada a percorrer
não é apenas de ida.

O ninho tá sempre ali
basta o cabra reparar,
que é talvez pelo retorno
que a gente aprende a andar,
que as coisas são diferentes
que às vezes andar pra frente
também pode ser voltar.

Voltar pra não esquecer
de quem nunca esquece a gente!
Pra se lembrar do abraço
mais apertado, mais quente,
lembrar da ave mais bela,
mais bonita, mais singela,
mas também a mais valente.

Lembrar que cada graveto
de amor e de carinho,
cada folha, cada galho,
prepararam o seu caminho
lhe deram sabedoria,
pois já já será o dia
de fazer seu próprio ninho.

A ZECA, TIÃO E TODOS OS CACHORROS DE RUA...

~

Um cachorro não se importa
com o valor do seu salário,
não liga pra sua roupa,
não tira extrato bancário,
não sabe o que é dinheiro,
viagens pro estrangeiro,
nem quer morar em mansão.
Ele só quer seu carinho
e quem sabe um cantinho
dentro do seu coração.

O amor tem quatro letras
e por certo quatro patas.
Não diferencia ouro
ou um pedaço de lata,
não fala, não sabe ler,
mas diz tudo pra você
com o poder de um olhar!
Tão puro e tão leal,
tem o dom especial
de sempre nos perdoar.

Eu nunca vou entender
a tamanha pretensão,
de um homem que se diz
mais sabido que um cão.
Na nossa sociedade,
enfestada de vaidade
e sentimentos banais,
pro homem poder crescer
precisaria viver
igualzinho aos animais.

AMOR
IDEAL

～

Repare,
...que tanta gente no mundo
corre em busca do amor,
alguém que seja ideal,
aquela altura, aquela cor,
aquele extrato bancário,
aquele belo salário,
há quem ligue pra idade,
pra raça, religião...
Mas quem busca perfeição
não busca amor de verdade.

O ideal é amar,
inclusive o diferente!
Afinal que graça tem
amar uma cópia da gente?
Procure sem ter critérios,
o amor tem seus mistérios...
Deixa a gente atordoado.
Você sai a procurar
e ao invés de achar
acaba sendo achado.

E quando o amor lhe acha
não tem pra onde correr.
Finda logo essa besteira
de mil coisas pra escolher,
finda todo preconceito...
É como se no seu peito
coubesse o mundo inteiro,
com todo tipo de gente
e aceita que o diferente
é só alguém verdadeiro.

Percebe que a estrada
é repleta de amor,
e você nessa jornada
vai sorrir, vai sentir dor,
vai errar e acertar
na peleja pra encontrar
um sentimento real.
Uma dica, companheiro:
Se o amor for verdadeiro
já é o amor ideal.

Ninguém pode escolher a quem se ama
é o amor quem lhe escolhe e diz: Vá lá!
Não existe regra certa pra se amar,
Deus escreve e dirige toda trama;
um roteiro escrito com comédia e drama
e ninguém sabe como o filme vai findar.
Não se avexe, deixe o amor lhe carregar,
pois se existe um fato que eu acredito:
é que na vida todo amor é bonito,
feio mesmo, é viver e não amar!

**É que na vida
TODO AMOR É BONITO,
feio mesmo,
É VIVER E NÃO AMAR!**

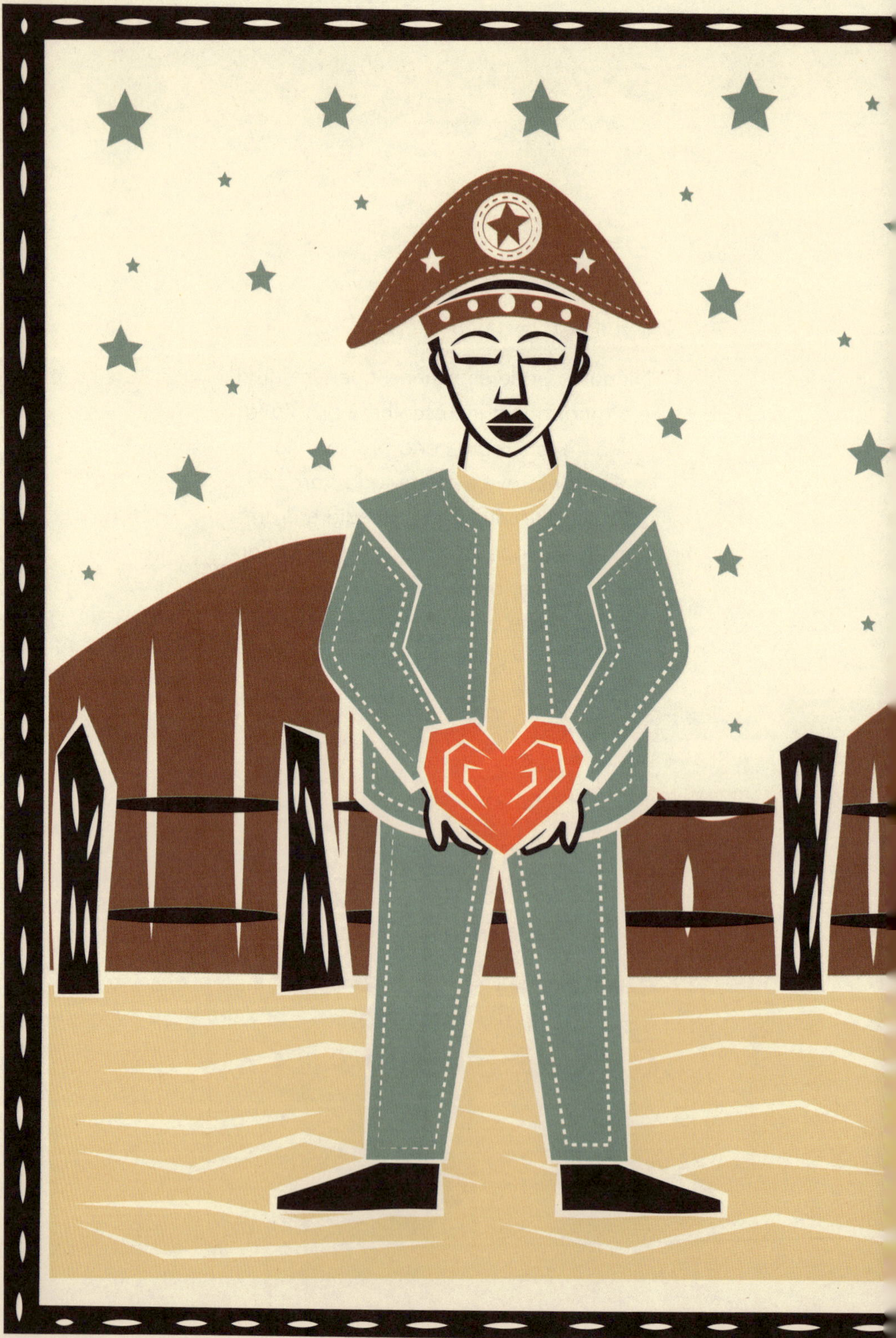

DO SER

GENTILEZA

NÃO É CARO E

VALE TANTO,

SER GENTIL É SER RICO

DE VERDADE.

SOBRE
HUMILDADE

~

Seja
HUMILDE,
mas não seja
BESTA.

A essência de um homem de verdade
vem do pai que lhe forma cidadão,
vem da mãe pra lhe dar educação,
e o menino vira um homem de caráter.
Meu amigo, com muita sinceridade
eu lhe digo que aqui no meu sertão,
caráter e honestidade são coisas de criação,
tem famílias que sofrem com sede e fome,
sem dinheiro, sem luxo e sem sobrenome,
quinze filhos e nenhum vira ladrão.

Na cidade, numa vila, numa aldeia,
na estrada, nas paradas do caminho,
você sempre carrega um pedacinho
de cada pessoa que lhe arrudeia.

(...) e não **REPARE** só por fora,
pois o melhor do osso
é o **TUTANO.**

GENTILEZA

Gentileza não é obrigação,
não é regra, não é ordem, não é lei.
Gentileza é essência, disso eu sei.
É semente que se planta em qualquer chão
e do nada nasce um pé de gratidão
irrigado pelas águas da igualdade,
bate um vento e voam folhas de bondade,
num instante se espalha em todo canto.
Gentileza não é cara e vale tanto,
ser gentil é ser rico de verdade.

É ser rico de alegria e bom humor,
é falar "com licença", "obrigado",
é dizer um "bom dia" até calado
num olhar ou num gesto de amor.
É pedir sem esquecer um "por favor",
é ser justo, bondoso, solidário,
é ser forte, é ser revolucionário
construindo um mundo diferente.
Gentileza é um pedaço de Deus dentro da gente
ajudando a mudar esse cenário.

Já dizia o poeta em seu letreiro:
gentileza só gera gentileza.
O meu verso também tem a firmeza
do amor mais puro e verdadeiro,
não carece de ouro nem dinheiro
pra ser bom com quem tá necessitando.
Não importa se alguém tá observando,
seja homem, menino ou mulher,
cada um é o que é, e você é
os seus gestos sem ninguém tá lhe olhando.

**Cada um é o que é,
e VOCÊ é os seus gestos SEM
NINGUÉM tá lhe olhando.**

CHUVA DE
HONESTIDADE

Se essa tal chuva de honestidade,
despencasse nos ternos engomados
e se os homens que vivem engravatados
se banhassem nas águas da verdade,
a sujeira no ralo da maldade
escorrendo pra longe da nação...
Eu garanto que cada cidadão
pagaria feliz cada imposto.
Quem é rico com suor de outro rosto
é um pobre de dinheiro e coração.

Eu pergunto aos homens do poder:
pra que tanta ganância e cobiça,
pra que tanto dinheiro na Suíça
se aqui falta até o que comer?
Nosso povo vai ter que se mexer
pra findar essa tal corrupção,
exigindo justiça e retidão,
só assim findaria esse desgosto.
Quem é rico com suor de outro rosto
é um pobre de dinheiro e coração.

A escola da vida me ensinou
a lutar por aquilo que é meu,
sem querer lhe tirar o que é seu.
Cada um colhe aquilo que plantou
e o suor que você já derramou
escorreu no seu corpo até o chão,
irrigando uma grande plantação
de caráter, justiça e de bom gosto.
Quem é rico com suor de outro rosto
é um pobre de dinheiro e coração.

Eu só peço que exista igualdade,
que o povo receba o que merece.
Se um poema é quase uma prece,
tô orando pedindo honestidade,
mais respeito e mais dignidade,
mais cultura, saúde, educação.
Sobrem livros, mas que nunca falte o pão,
deixo meu sentimento aqui exposto.
Quem é rico com suor de outro rosto
é um pobre de dinheiro e coração.

Não é produto de marca
que define um cidadão.
Nunca julgue nessa vida
um homem de pés no chão,
pois sapato calça os pés,
mas não calça o coração.

REPARE,
A vida sempre cobra pelos seus atos,
e não é à prestação, é à **VISTA!**

Cada dia dedicado
a **PREJUDICAR** a vida de alguém,
é um dia desperdiçado
pra **MELHORAR** sua própria vida.

VINGANÇA - PERDÃO
JUSTIÇA

~~~

Há quem diga que quem bate sempre esquece,
quem apanha é quem se lembra da ferida,
depois vira uma cicatriz pra toda vida
muitas vezes em alguém que nem merece.
Nessa hora o cabra pensa: — Ah, se eu pudesse
me vingar e descontar essa maldade.
E o ódio lhe assalta a liberdade,
lhe tornando cego, amargo e ignorante.
A vingança só dura um instante
e o perdão dura uma eternidade.

Acredite e tenha sempre esperança
que a justiça tenha sempre precisão.
Na balança vinte gramas de perdão,
pesam mais que vinte quilos de vingança.
Há quem diga que perdoar também cansa,
pois pergunte isso a Deus, por caridade.
Já pensou se Ele cansasse de verdade,
se tornasse vingativo e intolerante?
A vingança só dura um instante
e o perdão dura uma eternidade.

Perdoar talvez seja um recomeço,
não entenda isso como esquecimento,
siga em frente que Deus faz o julgamento,
cada um paga a conta no seu preço.
A justiça nunca erra o endereço,
mesmo cega, só enxerga a verdade;
perdoar não o faz fraco e covarde,
o faz forte, o faz livre e tolerante.
A vingança só dura um instante
e o perdão dura uma eternidade.

A VINGANÇA só dura um instante
e o **PERDÃO** dura uma eternidade.

VIDA NO
INTERIOR

~

Eu nasci no interior,
nunca neguei a ninguém.
A terra que a gente vem
merece todo amor.
Lá sorri e senti dor,
lá eu fui feliz demais!
Sempre que olho pra trás,
quero voltar sem ter freio.
Quem esquece de onde veio
não sabe pra onde vai.

Tamboretes na calçada,
cadeiras pra balançar,
roupa estendida na cerca,
uma rede pra deitar,
fuxiqueira fuxicando
sem mentir, mas aumentando
mode dar mais emoção;
enquanto isso Maria,
vai pra missa todo dia
pedindo por salvação.

A pracinha da igreja,
a barraca de Tadeu,
na bodega de Ademar
minha conta que venceu...
Cantoria e vaquejada,
o cantar da passarada
que canta pra encantar;
na sala um rádio de pilha,
noticiando a família
das notícias do lugar.

Meninos no meio da rua
inventando brincadeira:
pega-pega, esconde-esconde,
pião, bila, baladeira,
soltando pipa no céu,
assumindo seu papel
de verdadeira criança;
por isso digo ao sinhô:
quando vou no interior
renovo minha esperança!

Ele poderia ser qualquer coisa,
mas escolheu ser ele mesmo,
E FOI...

Na faculdade da vida
eu aprendi **APANHANDO**
e ensinei sem bater.

AOS
MESTRES

Um guerreiro sem espada,
sem faca, foice ou facão.
Armado só de amor,
segurando um giz na mão;
o livro é seu escudo
que lhe protege de tudo
que possa lhe causar dor.
Por isso eu tenho dito:
tenho fé e acredito
na força do professor.

Ah, se um dia os governantes,
prestassem mais atenção
nos verdadeiros heróis
que constroem a nação;
ah, se fizessem justiça
sem corpo mole ou preguiça,
lhe dando o real valor.
Eu daria um grande grito:
tenho fé e acredito
na força do professor.

Porém não sinta vergonha,
não se sinta derrotado,
se o nosso país vai mal
você não é o culpado.
Nas potências mundiais
são sempre heróis nacionais
e por aqui sem valor.
Mesmo triste e muito aflito,
tenho fé e acredito
na força do professor.

Um arquiteto de sonhos,
engenheiro do futuro,
um motorista da vida
dirigindo no escuro.
Um plantador de esperança
plantando em cada criança,
um adulto sonhador.
E esse cordel foi escrito,
por que ainda acredito
na força do professor.

QUATRO
VARAS

~

Um homem sábio, já velho
com olhar vago e distante,
convocou seus quatros filhos
e falou por um instante:
— Lá no fundo do quintal
tem quatro varas de pau
por favor, vão lá buscar.
E mesmo sem entender
o que o pai mandou fazer
responderam: — É pra já.

Quatro adultos para o mundo,
para o pai, quatro crianças,
recebendo uma lição
daquela voz fraca e mansa.
Quatro filhos, quatro varas
frente a frente, cara a cara
e o velho pai ordenou:
— Que cada um quebre a sua.
Depois jogaram na rua
pedaços do que sobrou.

– Vão buscar mais quatro varas,
disse o velho paciente.
E falou: – Porém agora
vamos fazer diferente.
Juntou as varas na mão,
amarrou com um cordão
e disse: – Podem quebrar!
Botaram força, gemeram,
mas ligeiro entenderam
que não ia adiantar.

E o velho disse: – Meus filhos,
essa é a minha herança.
Não são carros importados
nem dinheiro na poupança;
lhes deixo essa lição:
caminhar com união
é o nosso melhor transporte.
Sigam a vida unidos
que jamais serão vencidos,
pois juntos somos mais fortes.

Nesse mundo repleto de ilusão,
tanta gente fingindo noite e dia,
passa a vida vestindo a fantasia
de alguém que possui bom coração.
Porém nunca ajuda um irmão,
vê um pobre na rua ainda caçoa,
mas se acha uma ótima pessoa
se sentindo o esperto, coisa e tal.
Pode o homem, esse sim, enxergar mal,
mas a vista de Deus é muito boa.

**Pode o HOMEM, esse sim, enxergar mal,
mas a vista de DEUS é muito boa.**

CIDADE
PEQUENA

~

Cidade pequena é tudo pequeno,
menos a língua do povo,
corta mais do que navalha
na mão de barbeiro novo.
Dessas bocas com veneno,
o cabra escapar fedendo
é melhor que morrer cheiroso.

REPARE,
Quanto mais eu conheço
o **SER HUMANO,**
mais eu gosto de **CUSCUZ.**

~

A bondade não requer de promoção,
caridade a gente faz sem tá falando.
Não precisa se amostrar pra todo mundo,
feito ator que faz sucesso interpretando.
Cada um é o que é, e você é
os seus gestos sem ninguém tá lhe olhando.

REPARE,
Quanto mais saber **"MIÓ"**,
mas não se sinta **"MELHOR"**
por saber mais que alguém.

SOLIDARIEDADE
NO FRIO

~

Costurei um agasalho,
com tecido de amor,
a linha da caridade
foi o fio condutor.
Agulhas de compaixão,
estampas de gratidão.
Fiz um bolso aqui no peito
e enchi ele de bondade,
pra vestir a humanidade
que no fundo ainda tem jeito.

Tem jeito pra se ajeitar,
basta ser mais solidário.
Pra fazer um mundo novo,
transformando esse cenário
olhe além da sua porta,
pra vê se você suporta
assistir indiferente
quem dorme no meio da rua,
coberto só pela lua
sem ter um teto decente.

Tem jeito pra se ajeitar,
sendo menos egoísta.
Enxergando quem precisa
sem um olhar elitista,
sem se achar superior
a um irmão sofredor
sem casa, sem endereço,
que mesmo sem ser culpado,
a vida pega pesado
e lhe cobra um alto preço.

Tem jeito pra se ajeitar,
basta tu compreender
que quando se ajuda alguém
o ajudado é você.
É você quem ganha paz,
é você quem ganha mais,
mais amor, mais gratidão.
Doando um cobertor,
derretendo o frio da dor
e aquecendo um coração.

A MESA DO
BRASILEIRO

～

O Brasil de Norte a Sul
do Sudeste ao Nordeste,
passando no Centro-Oeste,
embaixo de um céu azul,
do chão brota um menu
tão completo, tão inteiro:
do morango ao cajueiro,
sabores tão diferentes,
mas falta um ingrediente
na mesa do brasileiro.

Tem churrasco lá no Sul,
tem o cuscuz do Nordeste,
queijo minas no Sudeste,
na Bahia sururu,
no Centro-Oeste o menu
tem arroz de carreteiro
e das mãos do canoeiro,
peixe assado e pirão quente,
mas falta um ingrediente
na mesa do brasileiro.

Cocada, acarajé,
temos doce de goiaba,
a moqueca capixaba,
tem cachaça, o nosso "mé",
um pãozinho com café,
os legumes do roceiro
e do mar o jangadeiro
traz mil peixes diferentes,
mas falta um ingrediente
na mesa do brasileiro.

Falta solidariedade
temperando essa fartura!
Mais doce que rapadura
é o mel da igualdade.
Pitadas de honestidade,
mudaria esse roteiro,
do doutor ao faxineiro,
do famoso ao indigente,
seria bem diferente
a mesa do brasileiro.

CONSCIÊNCIA
NEGRA

~~

"Eu tenho um sonho."

Assim, Martin Luther King
falou à humanidade.
Que um dia negros e brancos
andassem em irmandade,
sentassem na mesma mesa
e num gesto de grandeza,
e consciência em sua essência
se alimentassem de amor.
Mas, afinal, qual é a cor
dessa tal de consciência?

Sendo a consciência negra,
tem a cor de muita luta.
De um povo forte, guerreiro,
que não foge da labuta,
tem a cor do sofrimento
dos injustos julgamentos,
do preconceito velado,
tem a cor de quem sofreu
que sofre, mas aprendeu
a jamais ficar calado.

Talvez essa tal consciência,
tem a cor da igualdade.
De Mandela, de Ray Charles,
de outros reis, majestades,
do pop, reggae, baião,
Michael, Bob e Gonzagão
cortam o mal pela raiz,
com um machado afiado,
mas não é qualquer machado
é Machado de Assis.

Não deixe que o preconceito
escravize sua mente.
Afinal, somos iguais
mesmo sendo diferentes,
e não é contradição.
É pura convicção,
num conceito de igualdade,
baseado no amor
que não divide por cor
ninguém na humanidade.

Palavras podem ser amargas feito fel,
palavras podem ser doces feito mel,
palavras valem muito e custam pouco,
use as palavras, seja doce, adoce alguém.

Seja DOCE,
adoce alguém.

MINHA POESIA não é minha,
os meus versos não são meus,
o que escrevo em cada linha,
é tudo obra de **DEUS**.

Quem ofende uma mulher
lhe faltando com o respeito,
é na certa um mau caráter
munido de preconceito.
Lotado de amargura,
uma triste criatura,
machista e mal informado.
Depois vai se lamentar,
pedir desculpa e chorar
vendo o sol nascer quadrado.

MULHER
BRASILEIRA

Às vezes eu me pergunto:
afinal, o que é belo?
O belo é tão relativo,
tão gritante, tão singelo.
E quando o tema é mulher,
olho da cabeça ao pé
e não encontro um padrão.
Aí eu penso: Afinal,
se não tem ninguém igual,
também não tem perfeição.

A beleza, por exemplo,
não tá na cor do olhar.
Tá nas coisas que ele diz,
mesmo sem saber falar.
Tá numa mão delicada,
também tá na mão rachada.
Bem vestida ou mal vestida,
a mulher é sempre bela,
desfilando tão singela
na passarela da vida.

Sendo a vida passarela,
a mulher da minha gente
se amostra em todo tipo:
morena lá do sol quente,
mulher branca, mulher preta
que não tem medo de treta
nem medo de ser feliz.
Pergunto por gentileza:
se cabe tanta beleza
dentro de um só país?!

De um país tão misturado
que quando Deus fabricou,
Ele disse: o Brasil
vou pintar de toda cor!
Um pouquim do mundo inteiro,
representa o brasileiro
em sua diversidade.
Por isso, fica a lição:
beleza não tem padrão,
bonito é ser de verdade.

O que Deus lhe prometeu não tem quem tome.
Ninguém pode lhe roubar o que Ele deu,
os seus sonhos num papel Ele escreveu,
assinou e passou tudo pro seu nome.
Porém, gente invejosa sente fome,
quer comer no prato que você comeu,
quer beber no copo que você bebeu,
quer tomar tudo o que é seu e ainda quer troco.
Quem se ocupa cobiçando o que é dos outros,
não tem tempo pra lutar pelo que é seu.

REPARE,
Cada pessoa que torce por você
é parte **INDISPENSÁVEL**
para a construção do seu sucesso,
inclusive as que torcem
CONTRA.

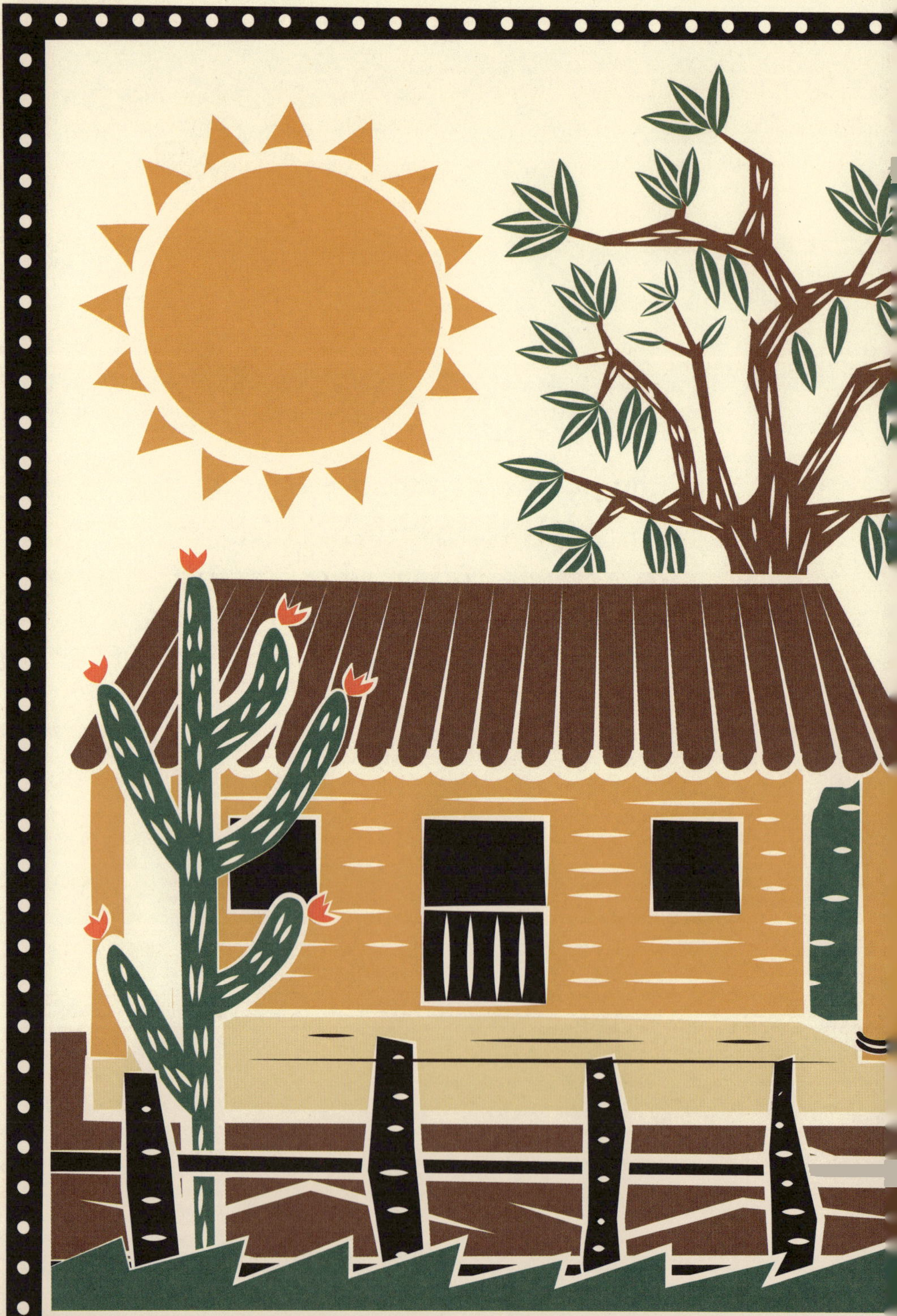

DO NORDESTE

QUANTO MAIS SOU

NORDESTINO,

MAIS TENHO

ORGULHO

DE SER.

Eu sou de uma terra
que falta **ÁGUA**,
mas sobra **LUZ.**

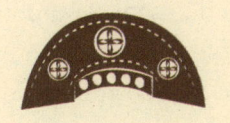

SER
NORDESTINO

~

Sou o gibão do vaqueiro,
sou cuscuz, sou rapadura,
sou vida difícil e dura,
sou Nordeste brasileiro.
Sou cantador violeiro,
sou alegria ao chover,
sou doutor sem saber ler,
sou rico sem ser granfino.
Quanto mais sou nordestino,
mais tenho orgulho de ser.

Sou a enxada no chão,
sou a jangada no mar,
sou leite com mungunzá
cozido num caldeirão.
Sou as penas do cancão,
sou o sol no entardecer,
a lua do anoitecer,
sou um sereninho fino.
Quanto mais sou nordestino,
mais tenho orgulho de ser.

Sou o voo da asa-branca,
sou cliente de bodega,
sou madeira que enverga,
mas não quebra e se levanta.
Sou lavadeira que canta,
sou xodó, sou bem-querer,
sou eu mesmo, sou você,
sou um povo genuíno.
Quanto mais sou nordestino,
mais tenho orgulho de ser.

Sou espiga no braseiro,
sou tirna de lamparina,
o raio da silibrina,
sou bacurim no chiqueiro,
mulher varrendo o terreiro,
sou retirante a sofrer
na esperança de crescer,
mas no Sul sou clandestino.
Quanto mais sou nordestino,
mais tenho orgulho de ser.

Da minha cabeça chata,
do meu sotaque arrastado,
do nosso solo rachado,
dessa gente maltratada
quase sempre injustiçada,
acostumada a sofrer,
mesmo nesse padecer
sou feliz desde menino.
Quanto mais sou nordestino,
mais tenho orgulho de ser.

Terra de cultura viva:
Chico Anysio, Gonzagão,
de Renato Aragão,
Ariano e Patativa,
gente boa, criativa
isso só me dá prazer!
Pois tenho orgulho em dizer:
muito obrigado ao destino!
Quanto mais sou nordestino,
mais tenho orgulho de ser.

INVERNO

Quando Beethoven compôs
sua quinta sinfonia,
esqueceu de acrescentar
o cantarolar da gia
anunciando o inverno,
presente do Pai Eterno,
molhando a terra vermelha,
nosso povo alegre dança
com o som da esperança
da chuva que cai na telha.

REPARE,
Pois aqui no meu **SERTÃO,**
quando o céu chora
o povo faz é **ACHAR GRAÇA.**

Sobre os ataques de preconceito sofridos
pela Miss Ceará, Melissa Gurgel, após vencer o Miss Brasil.

A beleza que habita nosso peito,
vem de dentro pra fora e ela é pura.
Não combina com inveja ou amargura,
muito menos com a palavra preconceito.
Gente burra é quem tem esse defeito,
uma falha que vem na estrutura,
isso é coisa de gente sem cultura
e o mundo inteiro agora viu,
que a mulher mais bonita do Brasil
foi criada comendo rapadura.

MULHER
NORDESTINA

Tens o gosto do mel da rapadura,
tens o cheiro do cuscuz na cuscuzeira,
tens a voz da asa-branca cantadeira,
tens do doce de caju toda doçura.
És bonita, abonitada, frágil e dura,
arretada, invocada, verdadeira.
Boniteza lá de nois, tão brasileira,
Deus foi bom e caprichou quando fez ela,
fabricou uma mulher tão linda e bela
que eu não troco por nenhuma estrangeira.

XILOGRAVURA

O Nordeste brasileiro
enfrenta uma seca dura,
mas na arte tem fartura
todo dia o ano inteiro.
Nas bandas do estrangeiro,
artista vive em mansão,
pagam mais de um milhão
num quadro que eu não entendo,
e o artista aqui sofrendo
por um prato de feijão.

Por um prato de feijão,
se compra um artesanato,
arte de um artista nato
com dez calos em cada mão.
Alguém toca um violão,
um pintor faz um letreiro,
e um cantador violeiro
diz: Será que hoje eu almoço?
Valorize o que é nosso,
dê valor ao brasileiro.

Olhe bem pra belezura,
da capa de um cordel,
estampada no papel
a bela xilogravura.
Retratando a bravura
do bando de Lampião,
o rosto de Gonzagão,
gibão e chapéu de couro.
Pra mim tem valor de ouro
o artista do sertão.

Deixo aqui enfatizado:
não sou contra o estrangeiro,
só acho que o brasileiro
tem que ser valorizado!
Ser menos vulgarizado
e ter muito mais espaço.
Caminhando passo a passo
chegaria a sua vez,
e um xilógrafo talvez
seria o nosso Picasso.

Quando a chuva esconde o cinza
e o verde pinta a paisagem,
o galho que era seco
exibe sua folhagem,
e um rio de gratidão
escorre pelo sertão
alegrando os filhos teus!
Renovando a esperança,
desse povo que não cansa
e sempre confia em Deus.

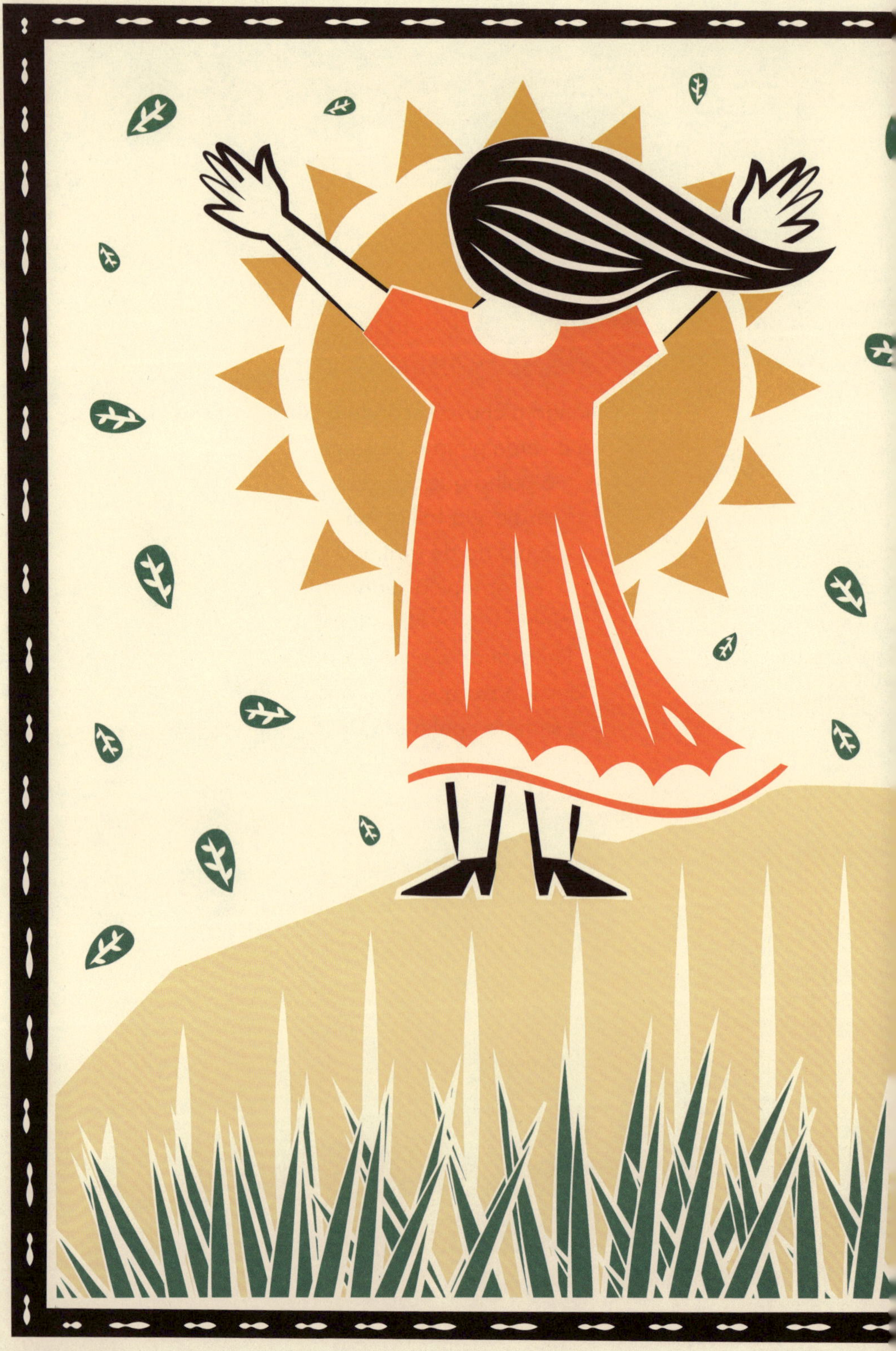

DO SENTIR

PRA CADA

DOR,

HÁ UM

HERÓI.

REPARE,
**Não há DOR que
maltrate mais a gente
que um corte da
navalha da SAUDADE.**

QUANTO CUSTA UMA
SAUDADE?

~

A saudade de alguém que foi embora,
de um amigo, de um amor, de um parente,
de alguém que não está mais entre a gente,
com o peito adoentado a alma chora.
Feito gripe que de noite só piora,
uma dor maior que vinte dor de dente,
judiando inté do cabra mais valente
sem sentir pena, dó, nem piedade.
Quer saber quanto custa uma saudade,
tenha amor, queira bem e viva ausente.

Tanto amor no meu peito estocado,
esperando por você que já partiu
tão depressa, nem sequer se despediu,
vez por outra me pergunto agoniado:
se a saudade mora mesmo no passado,
por que é que ela vive tão presente?
Hoje eu olho mais pra trás do que pra frente,
pra lembrar que já senti felicidade.
Quer saber quanto custa uma saudade,
tenha amor, queira bem e viva ausente.

Feito um doido fico aqui lhe esperando,
a saudade já chegou, e você, nada.
Vou pra rua caminhando na calçada,
de repente eu tô num bar me embriagando,
no meu rosto uma lágrima rolando,
no balcão uma dose de água ardente
na vitrola do bar toca um repente
de um poeta chêi de sensibilidade.
Quer saber quanto custa uma saudade,
tenha amor, queira bem e viva ausente.

A saudade observando a minha dor,
me levou pra mesa de cirurgia,
sem ao menos aplicar anestesia
segurou meu coração e arrancou.
Nessa hora até a saudade chorou
percebendo todo mal que faz a gente,
viu seu nome gravado em ferro quente,
deu remorso do tamanho da crueldade.
Quer saber quanto custa uma saudade,
tenha amor, queira bem e viva ausente.

Se a saudade além de ferir, matasse,
com certeza eu já teria falecido,
mas nem morto eu teria lhe esquecido
nem a morte dava fim a esse impasse.
Cada vez que minha alma se lembrasse,
pediria a Deus de forma insistente,
que Ele desse um jeitinho diferente
pra juntar nós dois por toda eternidade.
Quer saber quanto custa uma saudade,
tenha amor, queira bem e viva ausente.

Quer saber quanto custa uma SAUDADE, tenha AMOR, queira bem e viva AUSENTE.

A DOR

Tem dor que dói, depois passa,
tem dor que nem sei mais se dói,
tem dor que adormece a gente
fica dormente, destrói.
Mas se é dor, há de passar,
basta o cabra reparar,
pra cada dor, há um herói.

**Pra cada DOR,
há um HERÓI.**

REPARE,
Nem toda lágrima é dor,
nem toda graça é sorriso.
Nem toda CURVA DA VIDA
tem uma placa de aviso,
nem sempre que você perde
é de fato **UM PREJUÍZO.**

MAU
NEGÓCIO

Me trocastes num negócio sem futuro,
jogou fora um amor puro e verdadeiro
e eu achando que seria o derradeiro,
recebi de você um golpe duro.
Mas lhe digo, lhe prometo e até juro
que o mal que você hoje me fez,
me fará bem mais forte e dessa vez
eu não choro, não sofro e nem lamento.
Vou te ver na fila do pagamento
e o salário é um chifre todo mês.

A **SAUDADE** é mal educada.
Nunca bate na porta.
Arromba, **ENTRA** e quebra tudo.

A MARRETA DA MORTE É TÃO PESADA
QUE A PEDREIRA DA VIDA NÃO AGUENTA.

Mote de Valdir Teles e Severino Feitosa glosado por Bráulio Bessa.
*Uma homenagem às vítimas da tragédia
com o avião da Chapecoense.*

Já falei de "um tudo" em poesia,
porém hoje me custa escrever.
Ah, se um verso tivesse o poder
de acabar com essa dor, com essa agonia,
resgatando de volta a alegria,
colorindo essa tela tão cinzenta,
já que o mundo choroso hoje lamenta
o desfecho cruel dessa jornada.
A marreta da morte é tão pesada
que a pedreira da vida não aguenta.

E a pedreira erguida em Chapecó
se partiu num só golpe do destino,
nosso povo chorou como um menino,
se calou, a garganta deu um nó.
De repente ninguém mais se sentiu só
e uma voz tão suave e barulhenta,
nos dizia que essa dor tão violenta
era forte, mas seria superada.
A marreta da morte é tão pesada
que a pedreira da vida não aguenta.

O que a vida nos mostra todo dia
é que o tempo escorrega tão ligeiro,
que o relógio não para seu ponteiro
e o motor acelera em demasia.
Sendo assim, nunca poupe alegria,
pois é dela que a alma se alimenta,
não importa o tamanho da tormenta
ela vai estar sempre preparada.
A marreta da morte é tão pesada
que a pedreira da vida não aguenta.

E é por isso que...

A vida pede urgência,
já que essa tal pedreira
é tão frágil, e sem aviso
a pedra vira poeira.
Valorize esse presente,
vá pra luta, siga em frente
e aproveite o momento.
Acho que a lição é essa:
Que você viva sem pressa,
mas que nunca perca tempo.

A marreta da morte
é tão **PESADA**
que a pedreira
da **VIDA** não aguenta.

∼

Morre o rico e morre o pobre,
vê-se logo a diferença...
No velório, no enterro,
quando o padre dá a bença,
desigualmente tratados,
mesmo estando condenados
os dois na mesma sentença.

Num mundo tão desigual,
inté na hora da morte
o destino deixa claro
qual dos dois teve mais sorte.
A verdade é nua e crua:
o dinheiro continua
dizendo quem é mais forte.

MÃOS

~

Um poeta agarra um lápis
e escreve uma poesia,
um palhaço pinta o rosto
pra espalhar alegria,
o pintor pinta uma tela
de uma paisagem tão bela,
e a Ana faz um fuxico
usando o poder das mãos
e o amor do coração
faz-se até luxo no lixo.

Um tronco velho de pau
se transforma em escultura.
A arte brota na vida,
a vida brota cultura,
a cultura brota o novo
esculpindo o próprio povo
que se enxerga em toda parte.
Cada calo em sua mão,
fortalece o artesão,
mantém viva sua arte.

A mão que faz um carinho,
que aperta firme e forte,
a mão que abençoa um filho,
a mão que nos dá suporte,
a mão que diz: "venha cá",
a mão que diz: "volto já",
a mão que faz oração.
Hoje eu falei pra você,
da magia e do poder
de tudo que é feito à mão!

A SANFONA DE
BEETHOVEN

Me agarro num abraço,
no corpo do tocador,
abro o fole, rasgo o peito
pra cantar sorriso e dor.
São sustenidos, bemóis
misturados numa voz
que vem lá do coração,
sou o símbolo maior
majestade do forró,
de Luiz, Rei do Baião.

Já enchi muita barriga,
dei trabalho a muita gente,
eduquei, vesti, calcei
na sombra e no sol quente.
Estive em casas granfinas
e nas mais pobres esquinas
mendigando um tostão,
e os olhos do sanfoneiro
via no prato o dinheiro
pra levar pra casa o pão.

Ah, se a vida num descuido,
brincasse com meu destino
e Beethoven me olhasse
ainda quando menino...
Sua oitava sinfonia
teria mais alegria,
e eu não dava um ano,
pra ele só me querer
e num instante esquecer
daquele tal de piano.

Um sorriso no rosto contagia,
e enfeita muito mais que maquiagem
que depois de usar vem a lavagem
e a beleza se escorre pela pia.
Diferente da verdadeira alegria
que é obra de Deus, esse pintor
que enfeita nossa alma de amor,
muitas vezes paro, penso e analiso:
se o tempero da vida é o sorriso,
vou sorrindo pra vida ter mais sabor.

Charlie Chaplin, nosso gênio adorado
disse algo para o mundo refletir:
que um dia vivido sem sorrir
é de fato um dia desperdiçado.
Não precisa ficar mal-humorado,
enfrentando um desafio ou uma dor,
o sorriso é sempre superior.
Como Chaplin, também deixo o meu aviso:
se o tempero da vida é o sorriso,
vou sorrindo pra vida ter mais sabor.

∼

Sorrir tem um gosto bom,
sorrir é bom e faz bem.
Adoça e tempera a vida,
e a receita a gente tem:
é simples de começar,
basta você temperar
a sua vida também.

SOBRE AS
SEGUNDAS-FEIRAS

~

Que nosso **RISO** seja frouxo,
folgado, comprido e louco,
principalmente nas **SEGUNDAS-FEIRAS**
mais sem graça.

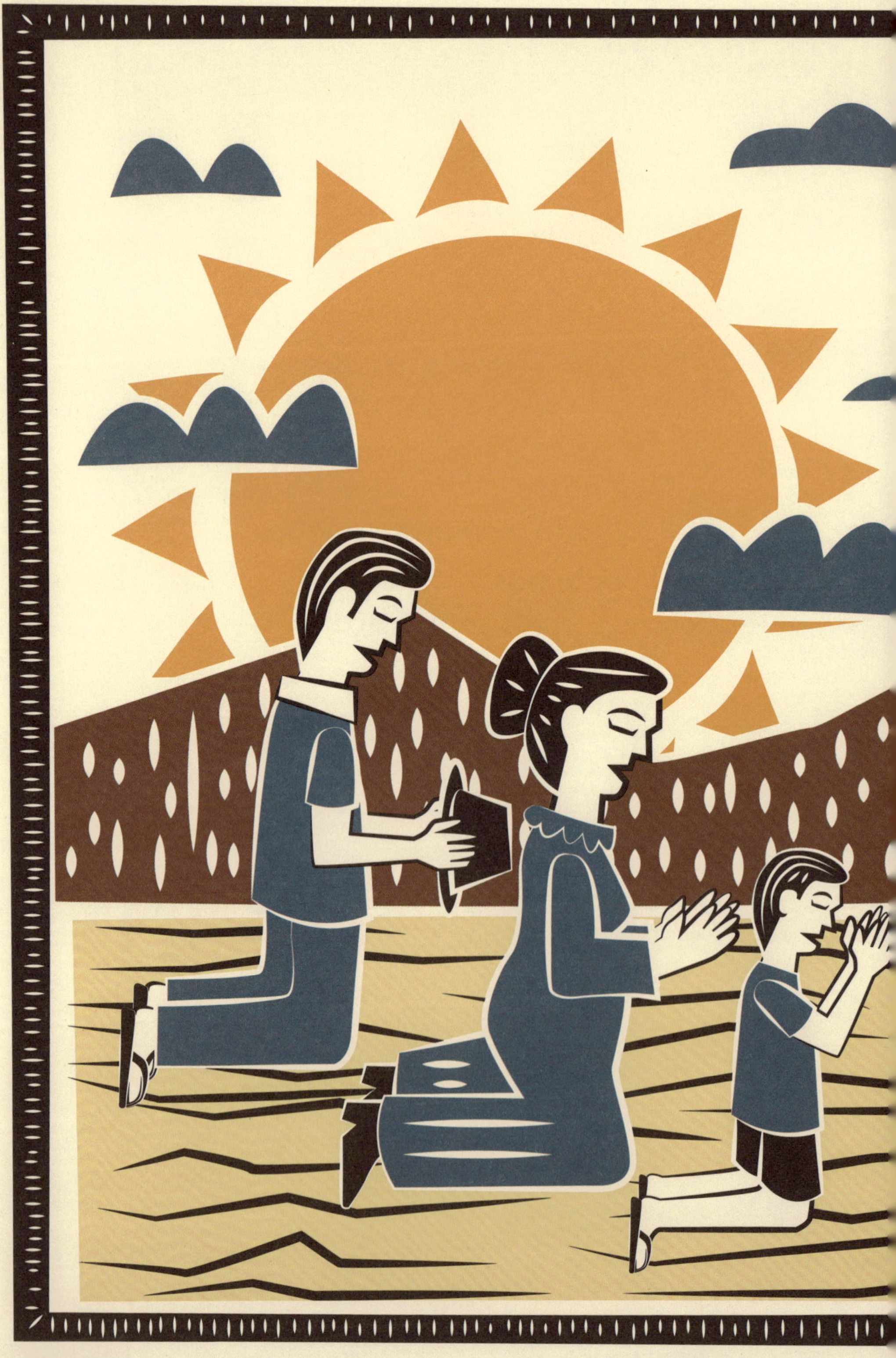

DA FÉ

UM **SONHADOR** NUNCA É **POBRE.**

Quase tudo me faltava,
mas fé nunca me faltou.
Deus me ensinou os valores mais nobres,
que um sonhador nunca é pobre,
que sonho não tem preço,
mas tem muito valor.

**Um SONHADOR nunca é pobre,
que sonho não tem preço,
mas tem MUITO VALOR.**

FÉ, RELIGIÃO, AMOR E
RESPEITO

~

Respeite mais, julgue menos!
Perdoe mais, condene menos!
Abrace mais, empurre menos!
Faça mais, fale menos!

E se o assunto for religião,
seja razão, seja sua razão,
mas também seja coração,
aliás, seja plural, seja corações
de todas as crenças,
de todas as cores,
de todas as fés,
de todos os povos,
de todas as nações!

Não transforme sua fé
em uma cerca de arames cortantes!
Use ela pra se transformar
em alguém melhor que antes.
Em alguém melhor que ontem!

Se transforme,
transforme alguém,
afinal, do que vale uma prece
se você não vai além?
se você não praticar o bem?!

Pratique o bem,
sem olhar a quem!
Sem se preocupar com a crença de ninguém!
Pois acredite, Deus não tem religião também!
Deus é o próprio bem!

Deixe Deus, ser o Deus de cada um!
Deixe cada um ter o Deus que quiser ter!
Seja você! E deixe o outro ser o que ele quiser ser!

Seja menos preconceito!
Seja mais amor no peito!
Seja amor, seja muito amor!

E se mesmo assim for difícil ser,
não precisa ser perfeito.
Se não der pra ser amor,
seja pelo menos RESPEITO!

Sendo eu um aprendiz,
a vida já me ensinou
que besta é quem vive triste
lembrando do que faltou,
magoando a cicatriz,
esquece de ser feliz
pelo que já conquistou.

o **MUNDO** gira,
o **VENTO** que traz é
o mesmo que leva.

AS VÊIS NENHÉ.
Às vezes você acha que é o fim.
Às vezes é só um recomeço...

Eu acredito que olhar pra trás também é seguir em frente.
É quando a gente relembra tudo que já passou pra chegar até aqui,
e tem a certeza de que nunca é hora de parar a caminhada.

A PELEJA É GRANDE,
mas nós somos maiores do que ela.

REPARE,
Às vezes eu tropeço, caio
e me quebro em pedaços.
ISSO ME FORTALECE.
Oxe, se um de mim já é forte,
IMAGINE VÁRIOS.

〜

Só eu sei cada passo por mim dado
nessa estrada esburacada que é a vida,
passei coisas que até mesmo Deus duvida,
fiquei triste, capiongo, aperreado,
porém nunca me senti desmotivado,
me agarrava sempre numa mão amiga,
e de forças minha alma era munida,
pois do céu a voz de Deus dizia assim:
— Suba o queixo, meta os pés, confie em mim,
vá pra luta que eu cuido das feridas.

REPARE,
Nossa vida é um folheto
de **CORDEL** cheio de versos.
Um verso ruim não significa
que o cordel já findou.

Sou pobre de muita coisa,
mas sou rico de alegria.
Confesso não ter dinheiro
pra comprar a padaria,
mas o dinheiro do pão
Deus bota na minha mão
até hoje, todo dia!

REPARE,
Na caminhada da vida,
quanto **MAIS PESO** nos ombros,
MAIS FORÇA a gente cria nas pernas.

O pouco que **DEUS** lhe deu
não é muito, mas é **SEU.**

ANO
NOVO

Ano novo é tudo novo
no sentimento da gente,
porém preserve do antigo
o que lhe empurrou pra frente.
Junte tudo que prestou,
misture com muito amor
e faça um mundo diferente.

Preserve os beijos, os cheiros,
os chamegos de amor,
as gargalhadas mais altas,
as piadas que contou
e se a tristeza apertar,
basta você se lembrar
dos sorrisos que arrancou.

O meu ou o seu caminho
não são muito diferentes;
tem espinho, pedra, buraco
pra mode atrasar a gente.
Não desanime por nada,
pois até uma topada
empurra você pra frente.

Continue sendo forte,
tenha fé no criador,
fé também em você mesmo,
não tenha medo da dor.
Siga em frente a caminhada,
saiba que a cruz mais pesada
o filho de Deus carregou.

Tantas vezes parece que é o fim,
mas no fundo é só um recomeço.
Afinal pra poder se levantar
é preciso sofrer algum tropeço,
é a vida insistindo em nos cobrar
uma conta difícil de pagar,
quase sempre por ser um alto preço.

Acredite no poder
da palavra Desistir,
tire o D coloque o R
que você vai Resistir!
Uma pequena mudança,
às vezes traz esperança
e faz a gente seguir.

– MORREU MARIA PREÁ

ÍNDICE

Apresentação —— 05
Agradecimentos —— 11
Do Amor e da Paixão —— 14
Do Ser —— 48
Do Nordeste —— 90
Do Sentir —— 104
Da Fé —— 126

Copyright®2017 CeNE
Texto: Bráulio Bessa

Editores
Edmilson Alves Júnior
Igor Alves
Irenice Martins
Julie Oliveira

Revisores
Joelci Morais
Rouxinol do Rinaré

Fotografia da Capa
Igor Barbosa

Ilustrações
Perron Ramos

Projeto Gráfico e Diagramação
Lily Oliveira

Impressão e Acabamento
Gráfica Santa Marta

Edição Conforme o Novo Acordo Ortográfico da Língua Portuguesa

Dados Internacionais de Catalogação na Publicação (CIP)

Bessa, Bráulio.
Poesia com Rapadura – Bráulio Bessa – Fortaleza\CE, CeNE, 2017.

152p.: 16,0 x 22,0 cm

ISBN 978-85-68941-05-8

1. Poesia. 2. Poesia Brasileira. 3. Nordestino. 4.Literatura Brasileira.

CDD. 800

CeNE
EDITORA

Av. Santos Dumont, 1343 – Loja 4 –
Centro – Fortaleza –CE – CEP 60.150-160
www.editoracene.com.br
(85) 2181.6610

MISTO
Papel | Apoiando o manejo
florestal responsável
FSC® C005648

Esse livro foi impresso na Gráfica Santa Marta
com papéis de fonte controlada.